Pero papá...

Mathieu Lavoie
Marianne Dubuc

Editorial EJ Juventud

—¡Buenas noches, monitos!

—Pero papá, ¡te olvidas de los pijamas!

—¡Buenas noches, monitos!

—Pero papá, ¡te olvidas de los muñecos!

—¡Buenas noches, monitos!

—Pero papá, ¡te olvidas de los vasos de agua!

—¡Buenas noches, monitos!

—Pero papá, ¡te olvidas de la luz quitamiedos!

—¡Buenas noches, monitos!

—Pero papá, ¡te olvidas de las camas!

—¡Buenas noches, monitos!

—Pero papá, ¡te olvidas del suelo!
¡Y de las paredes!

—¡Buenas noches, monitos!

—Pero papá, ¡te olvidas de la puerta del armario!

—¡Buenas noches, monitos!

—Pero papá, ¡hay un monstruo en el armario!

—¡Grblgrblgrbuenasnochesmonitos!....

—¡Y debajo de la cama!

—¡Buenas noches, monitos!

—Pero papá, ¡te olvidas de la luna!

—¡Buenas noches, monitos!

—Pero papá, ¡te olvidas del beso!

—¡Muuuac!

—¡Y del beso de mamá!

—¡¡Ay ay ay!! Papá ha olvidado un montón de cosas. Mañana, tendrá que hacer una lista.

—¡Buenas noches, corazones!

—¡Buenas noches, monitos!

—Pero papá...

... ¡si es de día!

Para Léon y Clara

Título original: MAIS PAPA
© Mathieu Lavoie, 2013
© Marianne Dubuc, 2013
Los derechos de traducción han sido contratados
mediante VeroK Agency, España.

© Editorial Juventud, S. A. 2013
Provença 101, 08029 Barcelona
info@editorialjuventud.es
www.editorialjuventud.es
Traducción de Élodie Bourgeois

Primera edición, 2013
ISBN 978-84261-3984-9
DL B 4171-2013
Núm. D'E.J.: 12.594

Printed in Spain
BIGSA, Pol. Ind. Congost - 08403 Granollers (Barcelona)